Pierre Girard ▪ Gilles Poirier ▪ Diane Pouliot

# GRAMMAIRE SIMPLIFIÉE

## ALPHABÉTISATION

**ERPI** ÉDITIONS DU RENOUVEAU PÉDAGOGIQUE INC.

5757, RUE CYPIHOT, SAINT-LAURENT (QUÉBEC) H4S 1X4
TÉLÉPHONE : (514) 334-2690 TÉLÉCOPIEUR : (514) 334-4720

Nous tenons à remercier les personnes suivantes pour leur précieux concours lors des journées de consultation et tout au long de l'élaboration de cet ouvrage.

Gisèle Bricault
Marie-Paule Fournier
Marcel Barbier
*CALM (Marieville)*

Francine Picotte
René Poirier
*La clé des mots (Candiac)*

Lise Paradis
Guy Marcoux
*CEPA (Châteauguay)*

Carole Bégin
Normand Théberge
Josée Ouimet
Suzanne Roy
Roger Garceau
*Le jardin des mots (Iberville)*

Ariane Meunier
Marie-Stéphane Bordereau
*Comité ALA (Lacolle)*

Nicole Ekdom
Léonce Roy
Serge Yvon Boulanger
Richard Huot
Cécile Gingras
*CAHY (Granby)*

La rédaction de cette grammaire a aussi été rendue possible grâce à une subvention dans le cadre d'un projet d'initiatives fédérales-provinciales conjointes en matière d'alphabétisation pour l'année 1991-1992.

**Équipe éditoriale :**
Chantal Kirsch
Suzanne Archambault
Murielle Villeneuve

**Conception graphique : ERPI**

**Couverture
mise en pages
et réalisation technique :**
Denis Duquet

Dépôt légal : 1er trimestre 1994
Bibliothèque nationale
du Québec
Bibliothèque nationale
du Canada

Imprimé au Canada

ISBN 2-7613-0801-8
1234567890IB987654
2251 ABCD

# Préface

Cette grammaire s'adresse aux apprenants adultes en
français de base (analphabètes complets à fonctionnels).
Elle contient essentiellement des notions grammaticales
élémentaires et est divisée en trois niveaux.
Ses exemples sont tirés de la vie courante.

La langue est célébrée par les poètes et les écrivains,
mais elle appartient d'abord et surtout à ceux
qui l'utilisent quotidiennement. Nous avons donc conçu cette
grammaire pour permettre aux usagers de mieux s'approprier
leur langue, de bien la connaître et de la maîtriser.
Nous espérons qu'elle sera ainsi un outil de démocratisation.

Les auteurs

*Pierre Girard*
*Gilles Poirier*
*Diane Pouliot*

# Table des matières

# Table des matières

## Niveau 1

# Table des matières (suite)

# L'alphabet

Notre alphabet a 26 lettres.

Elles peuvent s'écrire en minuscules :

a b c d e f g h i j k l m
n o p q r s t u v w x y z

Elles peuvent s'écrire en majuscules :

A B C D E F G H I J K L M
N O P Q R S T U V W X Y Z

# L'écriture script

## Minuscules

a b c d e f g
h i j k l m n
o p q r s t u
v w x y z

## Majuscules

A B C D E F G
H I J K L M N
O P Q R S T U
V W X Y Z

# Les voyelles et les consonnes

Dans notre alphabet,
il y a 6 voyelles et 20 consonnes.

## Les voyelles

a e i o u y

## Les consonnes

b c d f g h j k l m n
p q r s t v w x z

# L'ordre alphabétique

L'ordre alphabétique, c'est l'ordre
des lettres de l'alphabet.

a b c d e f g h i j k l m
n o p q r s t u v w x y z

C'est dans cet ordre que les mots sont classés
dans un dictionnaire.

alphabet
billet
couple
diction

On classe les mots par la première lettre,
ensuite par la deuxième, etc.

bateau
béquille
bingo
bouteille

# La syllabe

La syllabe est un groupe de sons
qu'on prononce ensemble.

## Mots à une syllabe

bas

cou

dent

feu

## Mots à deux syllabes

cha | peau        au | to        mai | son

## Mots à trois syllabes

a | na | nas    pan | ta | lon    bri | co | leur

# Le son de la lettre «c»

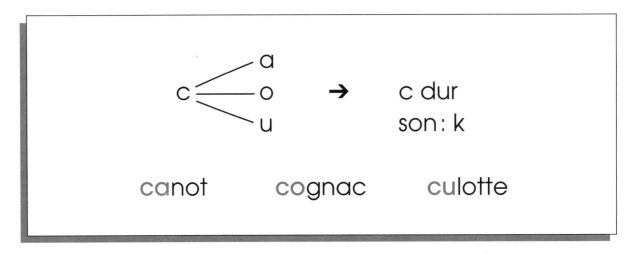

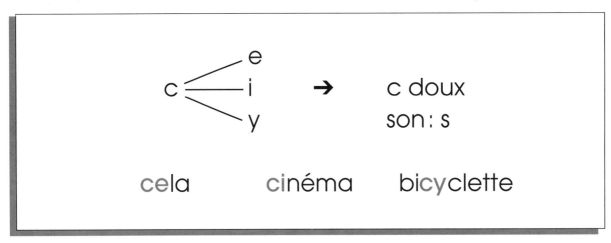

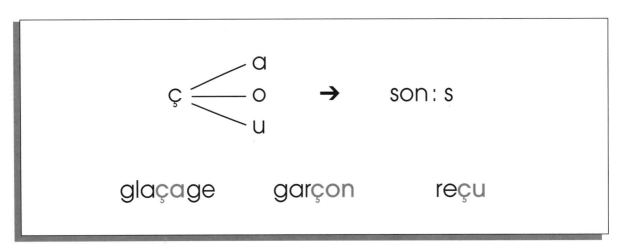

# Le son de la lettre «g»

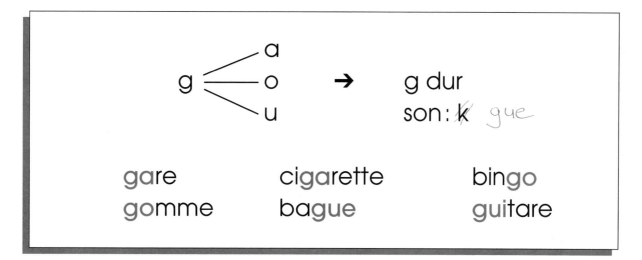

g — a / o / u  →  g dur
son : k̶  *gue*

gare          cigarette      bingo
gomme         bague          guitare

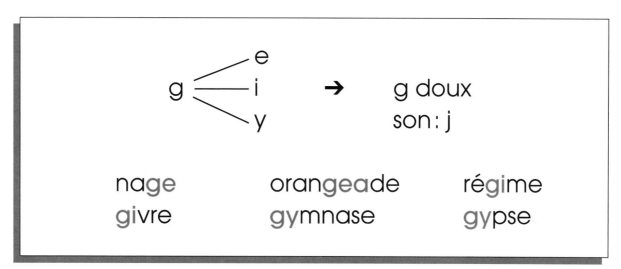

g — e / i / y  →  g doux
son : j

nage          orangeade      régime
givre         gymnase        gypse

# Le son de la lettre «h»

Parfois, on n'entend pas le **h**:
on dit qu'il est muet.

l'habit

l'hiver

**ph** se prononce **f**

alphabet

pharmacie

téléphone

**th** se prononce **t**

thé

thermos

Thomas

| Le **ch** doux | Le **ch** dur |
|---|---|
| chasse | chiropraticien |
| chiffre | chlore |
| chômage | chorale |
| chute | christ |
| pêche | chrome |

# Le son de la lettre «s»

Entre deux voyelles, le **s** se prononce **z**.

> base
> blouson
> casier
> désert
> poison

Dans les autres cas, il se prononce **s**.

| | |
|---|---|
| Le double **s** | boisson |
| | dessert |
| | essence |
| | poisson |
| | vaisselle |
| Le **s** entre une voyelle et une consonne | aspirateur |
| | escalier |
| | espace |
| | hospice |
| | testicule |

# Le «e» muet

Un **e** qu'on n'entend pas à la fin d'un mot est un **e** muet.

une allée
une banane
une épicerie
une fusée
une galerie
une joie
une journée
un musée
une rue
une soirée
une traversée
un trophée
une voiture

# Le «m» devant «b», «m» ou «p»

La lettre **n** se change en **m**
devant **b**, **m** ou **p**.

| Devant **b** | Devant **m** | Devant **p** |
|---|---|---|
| une chambre | emménager | une lampe |
| un timbre | emmêler | c'est important |
| un concombre | emmener | une pompe |
| embrasse-moi | emmitoufler | le temps |

## Exceptions

bonbon
bonbonne
bonbonnière
embonpoint
néanmoins

# Les signes orthographiques

Certains signes changent le son des lettres.

| | | |
|---|---|---|
| L'accent aigu | ´ | épaule |
| L'accent grave | ` | arrière |
| L'accent circonflexe | ^ | bête |
| Le tréma | ¨ | haïr |
| La cédille | ¸ | leçon |

L'apostrophe remplace une voyelle.
On l'utilise devant des mots qui commencent
par une voyelle ou par un h muet.

| | |
|---|---|
| l'usine | la usine |
| elle m'aime | elle me aime |
| l'hameçon | le hameçon |

Le trait d'union sert à relier des mots.

arc-en-ciel
beau-frère
compte-gouttes
pare-brise
peut-être

# La phrase

La phrase est un ensemble de mots
qui expriment une idée complète.

J'ai faim.

Ma fille se marie demain.

Le tirage de vendredi a fait bien des heureux.

La phrase commence par une majuscule.
Elle se termine par un point.

Mon voisin déménage à la campagne.

# Le nom propre

Les noms propres désignent :

| | |
|---|---|
| des prénoms | Annie, Victor |
| des noms de familles | Tremblay, Barbeau |
| des noms de pays | Espagne, Somalie |
| des noms de villes | Montréal, Vancouver |
| des noms de peuples | Québécois, Japonais |
| des noms d'animaux | Fido, Milou |

Le nom propre commence toujours
par une lettre majuscule.

Jacques

Québec

# Le nom commun

Les noms communs désignent :

des personnes    le mécanicien
                          la secrétaire
                          l'enfant
                          la voisine

des animaux    un chat
                          un chien

des choses    la table
                          le fleuve
                          le pays
                          une fourchette

et toutes sortes d'autres «choses» :

| | | |
|---|---|---|
| la justice | le bonheur | l'ennui |
| la méchanceté | la culbute | le rire |

Le nom commun commence toujours
par une lettre minuscule, sauf en début de phrase.

Chose promise, chose due.

# Le déterminant

Le déterminant est un petit mot
qui précède toujours un nom.

Il nous renseigne sur le genre
et le nombre de ce nom.

la motocyclette
un manteau
mes deux souliers
cette grammaire

Il existe plusieurs sortes de déterminants :

| | |
|---|---|
| l'article | le, la, les, un, une, des |
| le déterminant numéral | un, deux, trois, quatre... |
| le déterminant possessif | mon, ma, mes |
| le déterminant démonstratif | ce, cet, cette, ces |

# L'adjectif qualificatif

L'adjectif dit **comment est** une personne,
un animal ou une chose.

une femme intelligente

un pompier courageux

un bel homme

un chat gris

une relation sexuelle

une piscine bleue

un gros livre

un film drôle

un mari jaloux

# Le genre

Il y a deux genres :
le masculin et le féminin.

un homme
le hibou
un pays
un avenir
} On peut dire **un** ou **le** :
c'est un nom masculin.

une caissière
la chatte
une ferme
la chance
} On peut dire **une** ou **la** :
c'est un nom féminin.

# Le féminin des noms

## Règle générale

Pour mettre un nom au féminin, on lui ajoute un **e**.

| Masculin | + e → | Féminin |
|---|---|---|
| un ami | | une ami**e** |
| un auteur | | une auteur**e** |
| un cousin | | une cousin**e** |
| un voisin | | une voisin**e** |
| un enseignant | | une enseignant**e** |
| François | | François**e** |
| René | | René**e** |

# Les noms masculins

On peut se tromper sur le genre
de certains noms.

Les noms suivants sont masculins.

un nouvel autobus
un gros accident
un petit avion
un grand appartement
un bon hôpital
un ancien hôtel
un escalier tournant
un violent orage
un bel ouvrage
un imperméable neuf
un brillant orchestre
un bel arc-en-ciel

# Le féminin des adjectifs qualificatifs

## Règle générale

Pour mettre un adjectif au féminin,
on lui ajoute un **e**.

| Masculin | + e → | Féminin |
|---|---|---|
| grand | | grande |
| petit | | petite |
| clair | | claire |
| obscur | | obscure |
| étoilé | | étoilée |
| méchant | | méchante |

**Attention!** Il y a plusieurs **exceptions**:

| | |
|---|---|
| blanc | blanche |
| sec | sèche |
| gros | grosse |

# Le nombre

Il y a deux nombres:
le singulier et le pluriel.

une auto
la maison
ce manteau
un enfant
} Il n'y en a qu'un (ou qu'une):
le nom est au singulier.

des autos
les maisons
ces manteaux
des enfants
} Il y en a plusieurs:
le nom est au pluriel.

# Le pluriel des noms

## Règle générale

Pour mettre un nom au pluriel, on lui ajoute un **s**.

| Singulier | + s → | Pluriel |
|---|---|---|
| un verre | | des verres |
| une tasse | | des tasses |
| mon chèque | | mes chèques |

La plupart des noms qui se terminent
en **eau**, **au** et **eu** prennent un **x** au pluriel.

| **eau** | → | **eaux** | |
|---|---|---|---|
| un cadeau | | des cadeaux | |
| un bureau | | des bureaux | |
| **au** | → | **aux** | |
| un tuyau | | des tuyaux | |
| un boyau | | des boyaux | |
| **eu** | → | **eux** | Exception |
| un cheveu | | des cheveux | un pneu |
| un neveu | | des neveux | des pneus |

# La terminaison de certains mots au masculin

Pour savoir comment un mot se termine au masculin...

On cherche son féminin :

| | |
|---|---|
| un parent | une parente |
| un marchand | une marchande |
| gris | grise |

ou

on cherche un mot de la même famille :

| | |
|---|---|
| galop | galoper |
| récit | réciter |
| plat | plateau |

# Le pluriel des adjectifs

## Règle générale

Pour mettre un adjectif au pluriel, on lui ajoute un **s**.

| Singulier | + s → | Pluriel |
|---|---|---|
| **Singulier** | | **Pluriel** |
| une joue rouge | | des joues rouge**s** |
| un petit magasin | | des petit**s** magasins |
| la belle maison | | les belle**s** maisons |
| la rue déserte | | les rues déserte**s** |
| une piscine bleue | | des piscines bleue**s** |

# Le verbe

Le verbe est un mot très important dans la phrase.
Il indique une action.

Éric ———— la tasse de café.
Éric renverse la tasse de café.

Je —— à la brasserie.
Je vais à la brasserie.

Elle ———— son chien.
Elle promène son chien.

Gisèle — tout le temps.
Gisèle rit tout le temps.

Le verbe indique aussi à quel moment
l'action a lieu.

Pauline a mangé sa soupe.
Pauline mange sa soupe.
Pauline va manger sa soupe.

# Les personnes du verbe

Il y a six personnes pour conjuguer le verbe :

la 1$^{re}$ personne du singulier   →   je

la 2$^e$ personne du singulier   →   tu

la 3$^e$ personne du singulier   →   il ou elle

la 1$^{re}$ personne du pluriel   →   nous

la 2$^e$ personne du pluriel   →   vous

la 3$^e$ personne du pluriel   →   ils ou elles

---

La 1$^{re}$ personne, c'est celle qui parle :
je chante, nous chantons.

La 2$^e$ personne, c'est celle à qui l'on parle :
tu chantes, vous chantez.

La 3$^e$ personne, c'est celle de qui l'on parle :
il chante, ils chantent,
elle chante, elles chantent.

# Les temps du verbe

Le verbe peut être au passé,
au présent ou au futur.
Il nous situe dans le temps.

Hier            →    J'ai regardé un bon film.
Aujourd'hui     →    Je regarde un bon film.
Demain          →    Je regarderai un bon film.

| Hier | Aujourd'hui | Demain |
|:---:|:---:|:---:|
| ↓ | ↓ | ↓ |
| **passé** | **présent** | **futur** |

# Les verbes «avoir» et «être»

AVOIR     **Présent**

j'ai
tu as
il, elle a
nous avons
vous avez
ils, elles ont

ÊTRE     **Présent**

je suis
tu es
il, elle est
nous sommes
vous êtes
ils, elles sont

# Les verbes «chanter» et «finir»

CHANTER  **Présent**

je chante
tu chantes
il, elle chante
nous chantons
vous chantez
ils, elles chantent

FINIR  **Présent**

je finis
tu finis
il, elle finit
nous finissons
vous finissez
ils, elles finissent

niveau 1

# Le tableau des sons – 1

| | | a | e | i | o | u | y | é | è | ê |
|---|---|---|---|---|---|---|---|---|---|---|
| | | | | | **voyelles** | | | | | |
| **consonnes** | **b** | ba | be | bi | bo | bu | by | bé | bè | bê |
| | **c** | ca | ce[s] | ci[s] | co | cu | cy[s] | cé[s] | cè[s] | cê[s] |
| | **d** | da | de | di | do | du | dy | dé | dè | dê |
| | **f** | fa | fe | fi | fo | fu | fy | fé | fè | fê |
| | **g** | ga | ge[j] | gi[j] | go | gu | gy[j] | gé[j] | gè[j] | gê[j] |
| | **h** | ha | he | hi | ho | hu | hy | hé | hè | hê |
| | **j** | ja | je | ji | jo | ju | jy | jé | — | jê |
| | **k** | ka | ke | ki | ko | ku | ky | ké | — | kê |
| | **l** | la | le | li | lo | lu | ly | lé | lè | lê |
| | **m** | ma | me | mi | mo | mu | my | mé | mè | mê |
| | **n** | na | ne | ni | no | nu | ny | né | nè | nê |
| | **p** | pa | pe | pi | po | pu | py | pé | pè | pê |
| | **q** + u | qua | que | qui | quo | — | quy | qué | què | quê |
| | **r** | ra | re | ri | ro | ru | ry | ré | rè | rê |
| | **s** | sa | se | si | so | su | sy | sé | sè | sê |
| | **t** | ta | te | ti | to | tu | ty | té | tè | tê |
| | **v** | va | ve | vi | vo | vu | vy | vé | vè | vê |
| | **w** | wa | we | wi | wo | — | wy | — | wè | wê |
| | **x** | xa | xe | xi | xo | xu | xy | xé | xè | xê |
| | **z** | za | ze | zi | zo | zu | zy | zé | zè | zê |

# Le tableau des sons – 2

Aux voyelles, on a ajouté:

ou – an – on – in – eu

On a aussi ajouté ce qu'on a appris avec le jeu des consonnes.

| | a | e | i | o | u | é |
|---|---|---|---|---|---|---|
| **ch** | cha | che | chi | cho | chu | ché |
| **gn** | gna | gne | gni | gno | gnu | gné |
| **cl** | cla | cle | cli | clo | clu | clé |
| **bl** | bla | ble | bli | blo | blu | blé |
| **pl** | pla | ple | pli | plo | plu | plé |
| **fl** | fla | fle | fli | flo | flu | flé |
| **gl** | gla | gle | gli | glo | glu | glé |
| **cr** | cra | cre | cri | cro | cru | cré |
| **br** | bra | bre | bri | bro | bru | bré |
| **fr** | fra | fre | fri | fro | fru | fré |
| **gr** | gra | gre | gri | gro | gru | gré |
| **pr** | pra | pre | pri | pro | pru | pré |
| **tr** | tra | tre | tri | tro | tru | tré |

| è | ê | ou | an | on | in | eu |
|---|---|----|----|----|----|----|
| chè | chê | chou | chan | chon | chin | cheu |
| gnè | gnê | gnou | gnan | gnon | gnin | gneu |
| clè | clê | clou | clan | clon | clin | cleu |
| blè | blê | blou | blan | blon | blin | bleu |
| plè | plê | plou | plan | plon | plin | pleu |
| flè | flê | flou | flan | flon | flin | fleu |
| glè | glê | glou | glan | glon | glin | gleu |
| crè | crê | crou | cran | cron | crin | creu |
| brè | brê | brou | bran | bron | brin | breu |
| frè | frê | frou | fran | fron | frin | freu |
| grè | grê | grou | gran | gron | grin | greu |
| prè | prê | prou | pran | pron | prin | preu |
| trè | trê | trou | tran | tron | trin | treu |

# Table des matières

## Niveau 2

# Table des matières (suite)

# Comment se forme le féminin des noms

## Règle générale

Pour mettre un nom au féminin, on lui ajoute un **e**.

| **Masculin** | **+ e →** | **Féminin** |
|---|---|---|
| un renard | | une renard**e** |
| Denis | | Denis**e** |
| ce bourgeois | | cette bourgeois**e** |
| le Français | | la Français**e** |

## Attention !

Il y a d'autres façons de former le féminin des noms.
(Voir les pages suivantes.)

# Comment se forme le féminin des noms en «er», «ier»

er → ère

ier → ière

| Masculin | Féminin |
|----------|---------|
| ce berger | cette bergère |
| le boulanger | la boulangère |
| un passager | une passagère |
| le policier | la policière |
| un caissier | une caissière |
| cet ouvrier | cette ouvrière |

# Comment se forme le féminin des noms en «eur»

| Masculin | Féminin |
|---|---|
| un mineur | une mineure |
| un professeur | une professeure |
| ce pollueur | cette pollueuse |
| le pêcheur | la pêcheuse |

## Exceptions

| | |
|---|---|
| le pécheur | la pécheresse |
| le vengeur | la vengeresse |

# Comment se forme le féminin des noms en «teur»

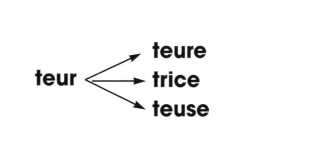

| Masculin | Féminin |
|---|---|
| un docteur | une docteure |
| un auteur | une auteure |
| ce directeur | cette directrice |
| son conducteur | sa conductrice |
| un chanteur | une chanteuse |
| le menteur | la menteuse |

# Comment se forme le féminin des noms en «on», «en», «et», «el»

| | | |
|---|---|---|
| **on** | → | **onne** |
| **en** | → | **enne** |
| **et** | → | **ette** |
| **el** | → | **elle** |

On double la consonne et on lui ajoute un **e**.

| **Masculin** | **Féminin** |
|---|---|
| le patron | la patronne |
| mon mécanicien | ma mécanicienne |
| ce cadet | cette cadette |
| un criminel | une criminelle |

# Comment se forme le féminin des noms en «f», «x»

| f | → | ve |
|---|---|----|
| x | → | se |

| Masculin | Féminin |
|----------|---------|
| le captif | la captive |
| un naïf | une naïve |
| le veuf | la veuve |
| | |
| ton amoureux | ton amoureuse |
| ce jaloux | cette jalouse |
| mon époux | mon épouse |

# Comment se forme le féminin des noms en «eau»

eau  →  elle

| Masculin | Féminin |
|----------|---------|
| l'agneau | l'agnelle |
| le nouveau | la nouvelle |

# Les noms ayant une forme particulière au féminin

| Masculin | Féminin |
|----------|---------|
| mon cheval | ma jument |
| le gendre | la bru |
| un homme | une femme |
| mon parrain | ma marraine |
| un jars | une oie |
| ce coq | cette poule |
| un serviteur | une servante |
| le roi | la reine |
| mon neveu | ma nièce |
| un cochon | une truie |

# Les noms ayant la même forme au masculin et au féminin

| Masculin | Féminin |
|---|---|
| un architecte | une architecte |
| un malade | une malade |
| un enfant | une enfant |
| un juge | une juge |
| un ministre | une ministre |

# Comment se forme le pluriel des noms

## Règle générale

Pour mettre un nom au pluriel, on lui ajoute un **s**.

| Singulier | + s → | Pluriel |
|---|---|---|
| le boucher | | les bouchers |
| mon gilet | | mes gilets |
| cette pomme | | ces pommes |
| une liqueur | | des liqueurs |

## Attention !

Il y a d'autres façons de former le pluriel des noms.
(Voir les pages suivantes.)

# Comment se forme le pluriel des noms en «S», «X», «Z»

Les noms se terminant par **s**, **x** ou **z**
ne changent jamais au pluriel.

| Singulier | Pluriel |
|-----------|---------|
| un dos | des dos |
| un pois | des pois |
| l'index | les index |
| leur prix | leurs prix |
| la croix | les croix |
| ce gaz | ces gaz |
| un nez | des nez |

# Comment se forme le pluriel des noms en «eu», «au», «eau»

| | | |
|---|---|---|
| eu | → | eux |
| au | → | au |
| eau | → | eaux |

| Singulier | + x → | Pluriel |
|---|---|---|
| l'aveu | | les aveux |
| son jeu | | ses jeux |
| ce noyau | | ces noyaux |
| le couteau | | les couteaux |
| un moineau | | des moineaux |
| ton anneau | | tes anneaux |

## Exceptions

| | |
|---|---|
| ce pneu | ces pneus |
| le landau | les landaus |
| mon sarrau | mes sarraus |

# Comment se forme le pluriel des noms en «ou»

ou → ous

| Singulier | + s → | Pluriel |
|-----------|-------|---------|
| un sou | | des sous |
| ce clou | | ces clous |
| le trou | | les trous |

Il y a sept **exceptions**:

| | |
|--------|--------|
| bijou | bijoux |
| caillou | cailloux |
| chou | choux |
| genou | genoux |
| hibou | hiboux |
| joujou | joujoux |
| pou | poux |

# Comment se forme le pluriel des noms en «al»

al → aux

| Singulier | Pluriel |
|-----------|---------|
| ce bocal | ces bocaux |
| un canal | des canaux |
| son journal | ses journaux |
| mon rival | mes rivaux |

## Exceptions

| | |
|---|---|
| un bal | des bals |
| le carnaval | les carnavals |
| ce festival | ces festivals |
| mon récital | mes récitals |
| ce régal | ces régals |

# Comment se forme le pluriel des noms en «ail»

ail → ails

**Singulier** + s → **Pluriel**

| | |
|---|---|
| mon chandail | mes chandails |
| le détail | les détails |
| un rail | des rails |

## Exceptions

| | |
|---|---|
| le bail | les baux |
| un corail | des coraux |
| mon émail | mes émaux |
| ce soupirail | ces soupiraux |
| ton travail | tes travaux |
| un vitrail | des vitraux |

# L'adjectif qualificatif

L'adjectif dit comment est une personne,
un animal ou une chose.
Il qualifie le nom.

Georges est un être sensuel.

Raymond est un nageur médiocre.

Lucie préfère le vin rouge.

Ta mère a une santé fragile.

L'adjectif s'accorde en genre et en nombre
avec le nom auquel il se rapporte.

des vents froids

cette douce mélodie

# Comment se forme le féminin des adjectifs qualificatifs

## Règle générale

Pour mettre un adjectif au féminin, on lui ajoute un **e**.

| Masculin | + e → | Féminin |
|---|---|---|
| un serveur poli | | une serveuse poli**e** |
| un pyjama bleu | | une robe  bleu**e** |
| un garçon obéissant | | une fille obéissant**e** |

## Remarque

Les adjectifs qualificatifs qui se terminent par **e**
ne changent pas au féminin.

| le bras gauche | la main gauche |
|---|---|
| un lac calme | une rivière calme |

# Comment se forme le féminin des adjectifs en «er», «ier»

er → **ère**
ier → **ière**

| Masculin | Féminin |
|---|---|
| un citron amer | une orange am**ère** |
| un cher oncle | une ch**ère** tante |
| un emploi régulier | une situation régul**ière** |
| le premier mot | la prem**ière** lettre |

## Remarque

Pour obtenir le son **è**, on doit mettre l'accent grave sur le **e**.

# Comment se forme le féminin des adjectifs en «eur»

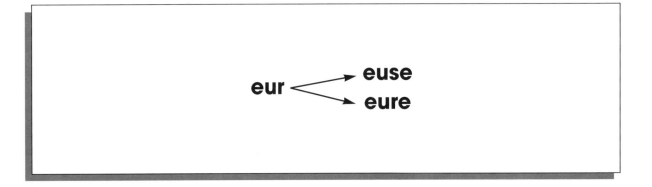

**eur** → **euse**
→ **eure**

| Masculin | Féminin |
|---|---|
| un oiseau moqueur | une pie moqu**euse** |
| ce visage rieur | cette face ri**euse** |
| un mur intérieur | une porte intéri**eure** |
| le meilleur prix | la meill**eure** marque |

# Comment se forme le féminin des adjectifs en «teur»

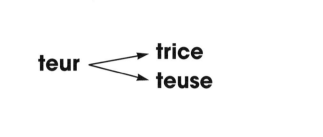

teur ⟶ **trice**
⟶ **teuse**

| Masculin | Féminin |
|---|---|
| un comportement révéla**teur** | une attitude révéla**trice** |
| un geste provoca**teur** | une action provoca**trice** |
| un enfant men**teur** | une enfant men**teuse** |
| un avenir promet**teur** | une carrière promet**teuse** |

# Comment se forme le féminin des adjectifs en «on», «en»

en → enne

on → onne

**Masculin**

mon ancien voisin
le peuple canadien

un bœuf bourguignon
un chat mignon
un bon vin

**Féminin**

mon ancienne voisine
la culture canadienne

une fondue bourguignonne
une chatte mignonne
une bonne bière

# Comment se forme le féminin des adjectifs en «et»

et → ette

## Masculin

un homme rondelet
mon chapeau violet
un enfant muet

## Féminin

une femme rondelette
ma robe violette
une enfant muette

## Exceptions

| | |
|---|---|
| complet | complète |
| inquiet | inquiète |
| secret | secrète |

# Comment se forme le féminin des adjectifs en «ot», «at»

ot → ote

at → ate

| Masculin | Féminin |
|---|---|
| un commentaire idiot | une remarque idi**ote** |
| un catholique dévot | une catholique dév**ote** |
| un tissu délicat | une image délic**ate** |
| un fini mat | une couleur m**ate** |
| un patron ingrat | une patronne ingr**ate** |

## Exceptions

| | |
|---|---|
| vieillot | vieillotte |
| pâlot | pâlotte |
| sot | sotte |

# Comment se forme le féminin des adjectifs en «f»

$$f \rightarrow ve$$

| Masculin | Féminin |
|---|---|
| un sou neuf | une pièce neuve |
| le prisonnier fugitif | la prisonnière fugitive |
| un air sportif | une allure sportive |

# Comment se forme le féminin des adjectifs en «eux»

eux → euse

**Masculin**

le décolleté audacieux

un joyeux Noël

un enfant peureux

un souvenir merveilleux

**Féminin**

la parole audaci**euse**

une joy**euse** fête

une enfant peur**euse**

une soirée merveill**euse**

Attention!

un vieux livre                    une vieille bibliothèque

# Comment se forme le féminin des adjectifs en «el», «eil»

| | | |
|---|---|---|
| **el** | → | **elle** |
| **eil** | → | **eille** |

| Masculin | Féminin |
|---|---|
| un bel avion | une belle voiture |
| un congrès officiel | une assemblée officielle |
| le fard vermeil | la peinture vermeille |
| un vieil arbre | une vieille souche |

# Les adjectifs ayant une forme particulière au féminin

| Masculin | Féminin |
|----------|---------|
| blanc | blanche |
| faux | fausse |
| favori | favorite |
| grec | grecque |
| long | longue |
| roux | rousse |
| sec | sèche |
| doux | douce |

# Comment se forme le pluriel des adjectifs qualificatifs

## Règle générale

Pour mettre un adjectif au pluriel, on lui ajoute un **s**.

| Singulier | + s → | Pluriel |
|---|---|---|
| un drap jaune | | des draps jaune**s** |
| la table ronde | | les tables ronde**s** |

## Remarque

Les adjectifs qualificatifs qui se terminent par **s** ou **x** ne changent pas au pluriel.

| | |
|---|---|
| un rire gras | des rires gras |
| le cheveu soyeux | les cheveux soyeux |

# Comment se forme le pluriel des adjectifs en «al»

al → aux

| Singulier | Pluriel |
|---|---|
| ce point cardinal | ces points cardinaux |
| un ami loyal | des amis loyaux |
| le soin médical | les soins médicaux |
| un muscle pectoral | des muscles pectoraux |

## Exceptions

| | |
|---|---|
| l'accident fatal | les accidents fatals |
| un chantier naval | des chantiers navals |

## Remarque

On a le choix pour :

| | |
|---|---|
| final | finals ou finaux |
| idéal | idéals ou idéaux |

# Comment se forme le pluriel des adjectifs en «eau»

eau → eaux

**Singulier**      **+ x → Pluriel**

le beau voilier      les b**eaux** voiliers

mon nouveau briquet      mes nouv**eaux** briquets

un lit jumeau      des lits jum**eaux**

# Comment s'accorde l'adjectif avec des noms de genres différents

Quand il y a un nom au masculin et l'autre au féminin, l'adjectif se met au masculin pluriel.

| Masculin | + | Féminin | → | Masculin pluriel |
|---|---|---|---|---|
| Le bureau | et | l'armoire | | sont bleus. |
| Pierre | et | Gisèle | | sont heureux. |
| Un pantalon | et | une veste | | neufs. |
| L'homme | et | la femme | | âgés. |

# Le sujet

Le sujet fait l'action exprimée par le verbe.

Pour trouver le sujet, on doit poser la question
**Qui est-ce qui ?** ou **Qu'est-ce qui ?**

Luc travaille à l'usine.
**Qui est-ce qui** travaille à l'usine ?
Réponse : Luc (sujet).

Les oiseaux volent dans le ciel.
**Qu'est-ce qui** vole dans le ciel ?
Réponse : Les oiseaux (sujet).

# Le verbe

Il y a deux sortes de verbes:
les verbes qui expriment une action
et les verbes qui expriment un état.

## Action

Luc et Pierre lancent une balle.
Thérèse étudie ses leçons.
Pierre lave la vaisselle.

## État

Philippe est malade.
Les fleurs sont belles.

Les principaux verbes d'état sont:

| | |
|---|---|
| être | devenir |
| paraître | demeurer |
| sembler | rester |

# Le complément

Le complément est un mot
ou un groupe de mots
qui complètent le verbe ou la phrase.

Anne joue du piano.
J'habite cette vieille maison.
Jean joue aux cartes avec Paul.
Louise mange au restaurant tous les matins.

# Le déterminant

Le déterminant précède toujours le nom.
Il est du même genre et du même nombre
que le nom qu'il accompagne.

Les déterminants sont :

| | |
|---|---|
| l'article | la porte |
| le déterminant démonstratif | ce livre |
| le déterminant indéfini | plusieurs personnes |
| le déterminant interrogatif | quelle heure est-il ? |
| le déterminant numéral | deux heures |
| le déterminant possessif | ma montre |

# Le déterminant article

L'article est le déterminant le plus employé.

Les principaux articles sont :

| le | la | l' | les |
|----|-----|-----|-------|
| un | une | des | |
| au | aux | du | de la |

L'article **l'** se place devant les noms qui commencent par une voyelle (**a, e, i, o, u**) ou par un **h** muet.

l'argent

l'horloge

# Le déterminant indéfini

Le déterminant indéfini indique une quantité:

aucun soir
nul homme
} il n'y en a pas.

chaque soir
} il n'y en a qu'un.

certains jours
plusieurs travaux
quelques amis
toutes les femmes
} il y en a plus qu'un.

---

Le déterminant indéfini indique parfois
une ressemblance ou une différence.

le même vêtement
un autre vêtement

---

**Chaque** est toujours au singulier.
Chaque jour, il pleut.

**Plusieurs** est toujours au pluriel.
Plusieurs personnes sont venues.

# Le déterminant démonstratif

Le déterminant démonstratif sert à montrer
les êtres ou les choses dont on parle.
Il est du même genre et du même nombre
que le nom qu'il accompagne.

|  | Masculin | Féminin |
|---|---|---|
| **Singulier** | ce, cet | cette |
| **Pluriel** | ces | ces |

ce journal
cet hiver
cette ouvrière
ces gens
ces usines

# Le déterminant interrogatif

Le déterminant interrogatif sert à interroger,
à poser des questions.
Il est du même genre et du même nombre
que le nom qu'il accompagne.

|  | **Masculin** | **Féminin** |
|---|---|---|
| **Singulier** | quel | quelle |
| **Pluriel** | quels | quelles |

Quel prisonnier s'est évadé ?

Quelles émissions regardez-vous ?

### Remarque

Les déterminants interrogatifs et les déterminants exclamatifs sont les mêmes. Seule l'intonation change.

Quel bel homme !

# Le déterminant numéral

Le déterminant numéral indique un nombre.
Il est invariable.

un cheval de course

deux stylos

trois billets de loterie

quatorze frères et sœurs

trente-huit élèves

soixante-six dollars

## Exceptions

**Vingt** et **cent** sont parfois variables.

Quatre-vingts pages

Nous étions cinq cents spectateurs.

# Le déterminant possessif

Le déterminant possessif indique une idée de possession.

| Un seul possesseur | | Plusieurs possesseurs | |
|---|---|---|---|
| Un seul objet | Plusieurs objets | Un seul objet | Plusieurs objets |
| mon   ma<br>ton   ta<br>son   sa | mes<br>tes<br>ses | notre<br>votre<br>leur | nos<br>vos<br>leurs |

C'est mon oncle.

Vos confrères de travail ont terminé leur journée.

Ta voiture est en panne.

Leurs enfants sont tous vivants.

# Les déterminants et les adjectifs numéraux

| Les déterminants numéraux | | Les adjectifs numéraux |
|---|---|---|
| 1 | un | premier |
| 2 | deux | deuxième |
| 3 | trois | troisième |
| 4 | quatre | quatrième |
| 5 | cinq | cinquième |
| 6 | six | sixième |
| 7 | sept | septième |
| 8 | huit | huitième |
| 9 | neuf | neuvième |
| 10 | dix | dixième |
| 11 | onze | onzième |
| 12 | douze | douzième |
| 13 | treize | treizième |
| 14 | quatorze | quatorzième |
| 15 | quinze | quinzième |
| 16 | seize | seizième |
| 17 | dix-sept | dix-septième |
| 18 | dix-huit | dix-huitième |
| 19 | dix-neuf | dix-neuvième |

# Les mots de même famille

Les mots de même famille ont la même origine.
Ils se ressemblent.

**travail**
**travail**ler
**travail**leur
**travail**lant

**dent**
**dent**aire
**dent**ier
**dent**ifrice
**dent**iste
**dent**ition
é**dent**é

**aliment**
**aliment**aire
**aliment**ation
**aliment**er

# Les types de phrases

Il existe quatre types de phrases :

la phrase déclarative
la phrase impérative
la phrase interrogative
la phrase exclamative

Je mange une bonne pomme. → déclarative
Fais le ménage de ta chambre. → impérative
Pars-tu en vacances cet été ? → interrogative
Que je suis content ! → exclamative

Une phrase interrogative se termine
par un point d'interrogation.

?

Une phrase exclamative se termine
par un point d'exclamation.

!

# Le point et la virgule

Le point se met à la fin d'une phrase.

J'ai oublié mes lunettes.

La virgule sert à séparer les éléments d'une énumération.

Les chiens, les chats et les souris ne font pas bon ménage.

# Table des matières

**Niveau 3**

# Table des matières (suite)

# Table des matières (suite)

# La phrase

Il y a trois éléments importants dans une phrase :

le **sujet**      le **verbe**      le **complément**
ou l'**attribut**

| Monique | achète | une maison. |
|---|---|---|
| sujet | verbe | complément |

| Monique et Jean | peinturent et tapissent | la cuisine et le salon. |
|---|---|---|
| groupe sujet | groupe verbe | groupe complément |

| Monique et Jean | sont | intelligents et travailleurs. |
|---|---|---|
| groupe sujet | verbe | groupe attribut |

La phrase exprime une idée complète.

# Le sujet

Le sujet fait l'action exprimée par le verbe.
C'est en général un nom ou un pronom.

Pour trouver le sujet, on pose la question
**Qui est-ce qui ?** ou **Qu'est-ce qui ?**
avant le verbe.

Gilles pense.
**Qui est-ce qui** pense ? ➔ Gilles (sujet)

Il pense.
**Qui est-ce qui** pense ? ➔ Il (sujet)

Les fleurs poussent.
**Qu'est-ce qui** pousse ? ➔ Les fleurs (sujet)

Elles poussent.
**Qu'est-ce qui** pousse ? ➔ Elles (sujet)

# Le complément d'objet direct

Le complément d'objet direct (c.o.d.)
est un mot ou un groupe de mots
qui complètent le verbe.

Pour trouver le complément d'objet direct (c.o.d.),
on pose la question **qui ?** ou **quoi ?**
après le verbe.

Paul dépose son chèque.
Paul dépose **quoi ?** ➜ son chèque (c.o.d.)

Louise rencontre un ami.
Louise rencontre **qui ?** ➜ un ami (c.o.d.)

Monique tapisse la cuisine et le salon.
Monique tapisse **quoi ?** ➜ la cuisine et le salon (c.o.d.)

# Le complément d'objet indirect

Le complément d'objet indirect (c.o.i.)
est un mot ou un groupe de mots
qui complètent le verbe.

Souvent, il est joint au verbe par une préposition
(à, de, pour, sans ...).

Pour trouver le complément d'objet indirect (c.o.i.),
on pose les questions suivantes après le verbe :

**à qui ? à quoi ? de qui ?
de quoi ? pour qui ? pour quoi ?**

Lise parle à son voisin.
Lise parle **à qui ?** ➜ à son voisin (c.o.i.)

Il raffole de la musique.
Il raffole **de quoi ?** ➜ de la musique (c.o.i.)

Rock cuisine pour ses parents et ses amis.
Rock cuisine **pour qui ?** ➜ pour ses parents et ses amis (c.o.i.)

# Le complément circonstanciel

Le complément circonstanciel (c.c.)
est un mot ou un groupe de mots
qui complètent la phrase.

Il indique les circonstances de l'action
(temps, lieu, cause, manière, etc.).

Pour trouver le complément circonstanciel (c.c.),
on pose les questions suivantes après le verbe :
**où ? quand ? comment ? pourquoi ?**

Je commence à travailler tôt le matin.
Je commence à travailler **quand ?** ➜ tôt le matin (c.c.)

Je l'ai rencontré à Québec.
Je l'ai rencontré **où ?** ➜ à Québec (c.c.)

La voiture allait à toute vitesse.
La voiture allait **comment ?** ➜ à toute vitesse (c.c.)

# L'attribut

L'attribut est un adjectif qui est relié au sujet par le verbe «être».
L'adjectif attribut s'accorde toujours avec le sujet.

Les diplômés étaient fiers et heureux.

| sujet | adjectif attribut |
|---|---|
| (masculin pluriel) | (masculin pluriel) |

---

Un attribut peut être relié au sujet
par d'autres verbes que le verbe «être» :
paraître, sembler, devenir, demeurer, rester.
On appelle tous ces verbes des **verbes d'état**.

Suzanne paraît très compétente.

| sujet | adjectif attribut |
|---|---|
| (féminin singulier) | (féminin singulier) |

---

## Remarque

L'attribut est parfois un groupe du nom.
Il ne s'accorde alors pas avec le sujet.

Cette dette devenait un énorme fardeau.

| sujet | groupe du nom attribut |
|---|---|
| (féminin singulier) | (masculin singulier) |

# L'adjectif numéral

L'adjectif numéral indique le rang.
Il s'accorde avec le nom qu'il qualifie.

---

Lisez le deuxième livre.

La quatrième personne à ma gauche paiera la note.

Les premières places sont très recherchées.

Il est en cinquième année.

# Accord de «vingt», «cent», «mille»

**Vingt** et **cent** prennent un **s** au pluriel
quand ils sont précédés d'un nombre,
et qu'ils ne sont pas suivis d'un autre nombre.

Ce livre a quatre-vingts pages.
Cette revue a quatre-vingt-dix pages.

Un chèque de deux cents dollars.
Un chèque de deux cent quatre-vingt-cinq dollars.

Le déterminant numéral **mille** est toujours invariable.

Jean achète une auto de dix mille dollars.

# Le pronom personnel

Le pronom personnel indique une personne:
la 1<sup>re</sup>, la 2<sup>e</sup>, la 3<sup>e</sup> personne (du singulier ou du pluriel).
Il remplace généralement un nom.
Il peut être sujet ou complément du verbe.

| Personne / Fonction | Sujet | Complément |
|---|---|---|
| 1<sup>re</sup> du singulier | je | me, moi |
| 2<sup>e</sup> du singulier | tu | te, toi |
| 3<sup>e</sup> du singulier | il, elle | on, le, la, elle, lui, se, soi, en, y |
| 1<sup>re</sup> du pluriel | nous | nous |
| 2<sup>e</sup> du pluriel | vous | vous |
| 3<sup>e</sup> du pluriel | ils, elles | elles, les, leur, eux, en, y, se |

Les pronoms permettent de ne pas répéter les noms:

**Roland** a très faim; **Roland** veut manger.
**Roland** a très faim; il veut manger.

# Le pronom relatif

Le pronom relatif réunit deux parties de phrase.
Il remplace généralement le nom, le groupe du nom
ou le pronom qui le précède.

Tu es retourné à Québec que tu aimais tellement.
Le mot **que** remplace le nom **Québec**.

L'homme qui était parti est revenu.
Le mot **qui** remplace le groupe du nom **l'homme**.

Je pense à toi qui m'as rendu ce service.
Le mot **qui** remplace le pronom **toi**.

J'ai revu la petite maison où je vivais avant.
Le mot **où** remplace le groupe du nom **la petite maison**.

Tu aimes le livre dont elle t'a parlé.
Le mot **dont** remplace le groupe du nom **le livre**.

Qui, que, quoi, dont, où sont invariables.
**Lequel, duquel, auquel** changent au féminin et au pluriel.

| Singulier | | Pluriel | |
|---|---|---|---|
| **Masculin** | **Féminin** | **Masculin** | **Féminin** |
| lequel | laquelle | lesquels | lesquelles |
| duquel | de laquelle | desquels | desquelles |
| auquel | à laquelle | auxquels | auxquelles |

# Le pronom possessif

Le pronom possessif indique une idée de possession.
Il remplace un nom précédé d'un déterminant possessif.

Ta voiture est plus récente que ma voiture.
Ta voiture est plus récente que la mienne.
**La mienne** remplace **ma voiture**.

Mon médecin est meilleur que ton médecin.
Mon médecin est meilleur que le tien.
**Le tien** remplace **ton médecin**.

Nos enfants sont plus sages que leurs enfants.
Nos enfants sont plus sages que les leurs.
**Les leurs** remplace **leurs enfants**.

| Un seul possesseur | | | |
|---|---|---|---|
| **Masc. sing.** | **Fém. sing.** | **Masc. plur.** | **Fém. plur.** |
| le mien | la mienne | les miens | les miennes |
| le tien | la tienne | les tiens | les tiennes |
| le sien | la sienne | les siens | les siennes |

| Plusieurs possesseurs | | |
|---|---|---|
| **Masc. sing.** | **Fém. sing.** | **Pluriel** |
| le nôtre | la nôtre | les nôtres |
| le vôtre | la vôtre | les vôtres |
| le leur | la leur | les leurs |

# Le pronom démonstratif

Le pronom démonstratif sert à montrer
les êtres ou les choses dont on parle.
Il remplace un nom, un groupe du nom ou un pronom.

---

Nos fruits sont aussi beaux que les fruits de la voisine.
Nos fruits sont aussi beaux que ceux de la voisine.
**Ceux** remplace le groupe du nom **les fruits**.

Ces plantes-ci sont fleuries; ces plantes-là sont fanées.
Celles-ci sont fleuries; celles-là sont fanées.
**Celles-ci** remplace **ces plantes-ci**.
**Celles-là** remplace **ces plantes-là**.

---

| Singulier | | Pluriel | | Neutre |
|---|---|---|---|---|
| **Masculin** | **Féminin** | **Masculin** | **Féminin** | |
| celui | celle | ceux | celles | ce |
| celui-ci | celle-ci | ceux-ci | celles-ci | ceci |
| celui-là | celle-là | ceux-là | celles-là | cela |
| | | | | ça |

# Le pronom interrogatif

Le pronom interrogatif sert à poser une question.
Il remplace un nom, un groupe du nom ou un pronom.

**Laquelle** de ces filles est ton amie ?
**Qui** est cette personne qui vient d'entrer ?
**De quoi** parles-tu ?
**Que** ferons-nous sans leur aide ?

### Remarque

Tous les pronoms relatifs peuvent servir à poser une question,
sauf «dont».

# Le pronom indéfini

Le pronom indéfini indique une quantité, une ressemblance ou une différence.
Il remplace un nom, un groupe du nom ou un pronom.

---

Parmi ces arbres, quelques arbres sont des conifères.
Parmi ces arbres, certains sont des conifères.
**Certains** remplace le groupe du nom **quelques arbres**.

Il n'a pas obtenu toutes les choses qu'il désirait.
Il n'a pas obtenu tout ce qu'il désirait.
**Tout** remplace le groupe du nom **toutes les choses**.

Chaque enfant a reçu un cadeau.
Chacun a reçu un cadeau.
**Chacun** remplace le groupe du nom **chaque enfant**.

---

### Remarque

**Aucun, autre, chacun, certain, le même, quelqu'un, tout, tel** changent au féminin et au pluriel.
**Nul, personne, plusieurs, rien** sont invariables.

# Le participe présent et l'adjectif verbal

Le participe présent se termine par «**ant**».
Il est invariable.
Il est souvent précédé de «**en**».

Je suis tombé en courant.
Marie est tombée en montant l'escalier.

L'adjectif verbal vient d'un verbe.
Il finit lui aussi en «**ant**», mais il s'accorde.

Ce petit garçon est souffrant.
Cette petite fille est souffrante.

## Remarque

Pour savoir si un mot est un adjectif verbal,
on met «qui est» ou «qui sont»
entre le nom et ce mot.

Ce petit garçon | qui est | souffrant.
Cette petite fille | qui est | souffrante.

# L'auxiliaire et le participe passé

On dit qu'un verbe est à un temps composé
lorsqu'il est formé de deux mots.
Ces deux mots sont un auxiliaire et un participe passé.

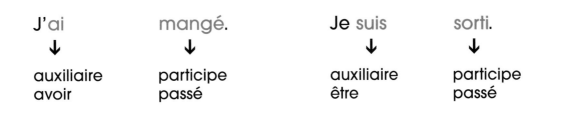

| J'ai | mangé. | Je suis | sorti. |
| ↓ | ↓ | ↓ | ↓ |
| auxiliaire avoir | participe passé | auxiliaire être | participe passé |

Dans une phrase, il est important :

1. de trouver le participe passé ;

2. de vérifier avec quel auxiliaire il est employé ;

3. de faire l'accord si c'est nécessaire.

# Le participe passé employé seul

Le participe passé employé seul (c'est-à-dire sans auxiliaire)
s'accorde comme un adjectif,
avec le nom auquel il se rapporte.

La plupart des participes passés se terminent par «é», «i» ou «u».
Quelques-uns se terminent par «s» ou «t».

un portefeuille égaré

une famille unie

le cadeau reçu

des visages ridés

le pourboire compris

un immeuble construit

# Le participe passé employé avec l'auxiliaire «être»

Le participe passé employé avec l'auxiliaire «être»
s'accorde avec le sujet du verbe.

Ma voiture est brisée.
Qu'est-ce qui est brisé ? ➔ Ma voiture (sujet)

Les employés étaient contrariés.
Qui est-ce qui était contrarié ? ➔ Les employés (sujet)

Lise et Louise seront hospitalisées à Montréal.
Qui est-ce qui sera hospitalisé ? ➔ Lise et Louise (sujet)

# Le participe passé employé avec l'auxiliaire «avoir»

Le participe passé employé avec l'auxiliaire «avoir»
s'accorde avec le complément d'objet direct
si celui-ci est placé **avant** le verbe.

Il est invariable s'il n'a pas de complément direct
ou si celui-ci est placé après le verbe.

La tasse que j'ai brisée était un souvenir.
J'ai brisé quoi ? ➔ **que** (c'est-à-dire la tasse)

Le complément d'objet direct est placé avant :
le participe passé s'accorde.

J'ai brisé la tasse.
J'ai brisé quoi ? ➔ **la tasse**

Le complément d'objet direct est placé après :
le participe passé ne s'accorde pas.

# Le verbe aller

Le verbe aller est un semi-auxiliaire.
Il indique l'idée du futur proche.

Je **vais** chanter en public demain.
Ma fille **va** commencer à aller à l'école en septembre.

Il existe d'autres verbes semi-auxiliaires :

devoir,     faire,     falloir,     pouvoir.

# L'antonyme

L'antonyme d'un mot est son contraire.

| | | |
|---|---|---|
| clarté | → obscurité | (noms) |
| beauté | → laideur | (noms) |
| dur | → mou | (adjectifs) |
| beau | → laid | (adjectifs) |
| avancer | → reculer | (verbes) |
| près | → loin | (adverbes) |

## Remarque

Les antonymes doivent être de même nature.

# Le synonyme

Les synonymes sont des mots qui veulent dire la même chose.

Un mot peut avoir plusieurs synonymes.

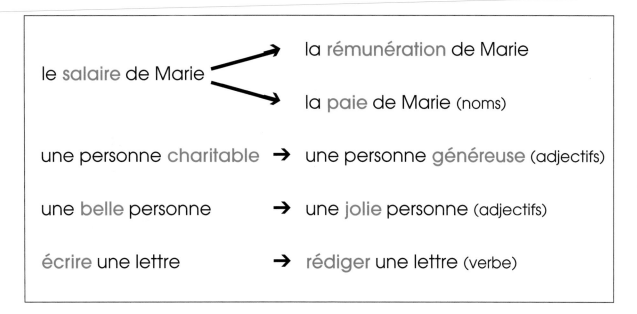

le salaire de Marie → la rémunération de Marie

le salaire de Marie → la paie de Marie (noms)

une personne charitable → une personne généreuse (adjectifs)

une belle personne → une jolie personne (adjectifs)

écrire une lettre → rédiger une lettre (verbe)

## Remarque

Les synonymes doivent être de même nature.

# L'homophone

L'homophone est un mot qui se prononce
de la même façon qu'un autre mot.
Mais les homophones ont des sens différents.
Ils ne s'écrivent pas de la même manière.

foi ➜ fois ➜ foie

maire ➜ mère ➜ mer

mais ➜ mes ➜ mets

sang ➜ sans ➜ cent ➜ s'en

saut ➜ seau ➜ sceau ➜ sot

## Remarque

On emploie parfois le mot «homonyme»
au lieu du mot «homophone».

# Les principaux homophones

## a, à

a ➜ verbe avoir

Pierre a vingt dollars dans ses poches.

Pierre **avait** vingt dollars dans ses poches.

On remplace «a» par «avait» : la phrase a du sens.

à ➜ préposition

Je monte à cheval.

Je monte **avait** cheval.

On remplace «à» par «avait» : la phrase n'a pas de sens.

## ont, on

ont ➜ verbe avoir

Ils ont un beau logement.

Ils **avaient** un beau logement.

On remplace «ont» par «avaient» : la phrase a du sens.

on ➜ pronom

On joue aux cartes.

**Avait** joue aux cartes.

On remplace «on» par «avait» : la phrase n'a pas de sens.

# Les principaux homophones (suite)

## son, sont

son ➜ déterminant possessif

Paul coupe son gazon.

Paul coupe **mon** gazon.

On remplace «son» par «mon» : la phrase a du sens.

sont ➜ verbe être

Les fleurs sont belles.

Les fleurs **mon** belles.

On remplace «sont» par «mon» : la phrase n'a pas de sens.

## ou, où

ou ➜ indique un choix

Veux-tu un café ou un thé ?

Avez-vous des filles ou des garçons ?

où ➜ indique un endroit, un lieu

Où travailles-tu ?

Où passeras-tu tes vacances ?

## mes, mais

mes ➜ déterminant possessif

Je cherche mes clés.

Je cherche **tes** clés.

On remplace «mes» par «tes» : la phrase a du sens.

mais ➜ indique une idée contraire

Je fume, mais je devrais cesser.

Je fume **pourtant** je devrais cesser.

On remplace «mais» par «pourtant» : la phrase a du sens.

## ce, se

ce ➜ déterminant démonstratif

Ce moteur est mal ajusté.

On emploie aussi «ce» dans l'expression «ce sont».

se ➜ pronom personnel

Il précède souvent le verbe.

Je me repose.

Tu te reposes.

Il se repose.

## ses, ces, c'est, s'est

ses ➜ déterminant possessif

Il est fier de ses enfants. (à lui)
Elle est fière de ses travaux. (à elle)

ces ➜ déterminant démonstratif

Ces bateaux sont magnifiques.
**Ceux-là** sont magnifiques.

On peut remplacer «ces» par «ceux-là».

c'est ➜ verbe être accompagné du pronom «ce»

C'est une aubaine !
**Cela** est une aubaine !

On peut remplacer «c'est» par «cela est».

s'est ➜ verbe être accompagné du pronom «se»

Elle s'est cassé la jambe. (à elle-même)

# Les terminaisons homophones er, é

Un grand nombre de verbes se terminent en «er» à l'infinitif.

Ils préfèrent étudier.

Le verbe est à l'infinitif :
– quand il est précédé de **à, de, pour, sans**.

Il est prêt à parler.

Elle arrête de nager.

Vous venez pour manger.

– quand il suit un autre verbe, sauf si ce dernier
est un verbe d'état.

Venez inspecter l'appartement.
Il paraît **ennuyé**.

Si on peut remplacer le verbe en «er» par «finir» ou «mordre»,
il se termine en «er».

J'aime nager.
J'aime mordre.
Tu dois travailler.
Tu dois finir.

Le participe passé des verbes en «er» se termine par «é».

Elles ont étudié pour les examens.
Vous avez nagé dans le lac.

# Les noms féminins en «té»

Les noms féminins en «té» ne prennent pas de «e» après le «té».

charité

honnêteté

clarté

piété

beauté

fierté

santé

## Exceptions

allée   dictée   jetée   montée   portée   tétée   assiettée
brouettée   charretée   nuitée   pâtée   platée

Ces exceptions sont des mots qui peuvent former un verbe :

dictée   →   dicter

jetée   →   jeter

ou qui indiquent un contenu :

assiettée   platée   brouettée

# Le sigle

Le sigle est formé par la première lettre
de chaque mot d'un groupe de mots.
Il s'écrit souvent en majuscules.
Le sigle permet d'utiliser moins d'espace quand on écrit.

Centre Travail-Québec ➔ CTQ

Centre local de santé communautaire ➔ CLSC

Alcooliques anonymes ➔ AA

Collège d'enseignement général et professionnel ➔ CEGEP

Bloc québécois ➔ BQ

Parti libéral du Canada ➔ PLC

| | |
|---|---|
| AA | Alcooliques anonymes |
| ACDI | Association canadienne de développement international |
| CECM | Commission des écoles catholiques de Montréal |
| CEGEP | Collège d'enseignement général et professionnel |
| CEIC | Centre d'emploi et d'immigration du Canada |
| CIO | Comité international olympique |
| CLSC | Centre local de santé communautaire |
| CN | Canadien National |
| CPQ | Conseil du patronat du Québec |
| CRSSS | Conseil régional de la santé et des services sociaux |
| CRTC | Conseil de la radiodiffusion et des télécommunications canadiennes |
| CSF | Conseil du statut de la femme |
| CSST | Commission de la santé et de la sécurité au travail |
| CTQ | Centre Travail-Québec |
| CUM | Communauté urbaine de Montréal |
| DEC | Diplôme d'études collégiales |
| DEP | Diplôme d'études professionnelles |

| | |
|---|---|
| DES | Diplôme d'études secondaires |
| DPJ | Direction de la protection de la jeunesse |
| GRC | Gendarmerie royale du Canada |
| MAS | Ministère des Affaires sociales |
| MEQ | Ministère de l'Éducation du Québec |
| MTQ | Ministère du Travail du Québec |
| NAS | Numéro d'assurance sociale |
| ONF | Office national du film |
| ONU | Organisation des Nations Unies |
| PLQ | Parti libéral du Québec |
| PME | Petites et moyennes entreprises |
| PQ | Parti québécois |
| SAAQ | Société d'assurance-automobile du Québec |
| SAQ | Société des alcools du Québec |
| SHQ | Société d'habitation du Québec |
| STCUM | Société de transport de la communauté urbaine de Montréal |
| STL | Société de transport de Laval |
| UPA | Union des producteurs agricoles |

# L'abréviation

L'abréviation d'un mot prend un point,
sauf si la dernière lettre du mot
fait partie de l'abréviation.

| | | | |
|---|---|---|---|
| exemple | → ex. | Madame | → M$^{me}$ |
| maximum | → max. | Mademoiselle | → M$^{lle}$ |
| minimum | → min. | Monsieur | → M. |

## Autres abréviations courantes :

| | | | |
|---|---|---|---|
| appartement | → app. | limitée | → ltée |
| avenue | → av. | Maître | → M$^e$ |
| boulevard | → boul. | numéro | → n$^o$ |
| case postale | → C.P. | Sainte | → S$^{te}$ |
| compagnie | → C$^{ie}$ | Saint | → S$^t$ |
| Docteur | → D$^r$ | téléphone | → tél. |
| incorporée | → inc. | | |

## Remarque

Les unités de mesure ne prennent pas de point.

| | | |
|---|---|---|
| heure | → | h |
| minute | → | min |
| seconde | → | s |
| mètre | → | m |
| kilomètre | → | km |

# La conjonction

La conjonction est un mot invariable qui fait le lien entre deux mots ou groupes de mots semblables.

Je connais le gérant et la comptable de ce restaurant.
Il est malade, mais il ira au travail.
J'irai au théâtre ou au restaurant.
Elle n'aime ni l'autobus ni l'avion.

Les principales conjonctions sont :
mais, ou, et, donc, car, ni, or.

Il y a d'autres conjonctions :
ainsi, alors, cependant, comme, puisque,
quand, que, si, sinon, toutefois.

# La préposition

La préposition est un mot invariable
qui introduit un complément.

Yves boit une tasse de thé.
Je travaille dans un garage.
Julie est chez sa tante.
Tu vas à La Ronde.

Les principales prépositions sont :

à, après, avant, avec, chez, contre,
dans, de, depuis, derrière, devant, durant,
en, par, parmi, pour, sans, sur.

# L'adverbe

L'adverbe est un mot invariable qui change le sens d'un verbe, d'un adjectif ou d'un autre adverbe.

| | |
|---|---|
| Adverbe de manière | Je mange rapidement. |
| Adverbe de lieu | Où demeurez-vous ? |
| Adverbe de temps | Je me lève tôt. |
| Adverbe de quantité | Je mange beaucoup. |

## Remarque

On peut former un adverbe en ajoutant «ment»
à un adjectif qualificatif féminin.

| Adj. masc. | | Adj. fém. | | Adverbe |
|---|---|---|---|---|
| lent | → | lente | → | lentement |
| vif | → | vive | → | vivement |

# Le préfixe

Le préfixe est une syllabe ou un mot invariable
qu'on ajoute avant le mot pour en changer le sens.

Le préfixe précède le mot.

| Préfixe | + | Mot | → | Nouveau mot |
|---------|---|-----|---|-------------|
| dé | | dire | | **dé**dire |
| | | monter | | **dé**monter |
| | | ranger | | **dé**ranger |
| pré | | dire | | **pré**dire |
| | | nom | | **pré**nom |
| | | venir | | **pré**venir |
| re | | commencer | | **re**commencer |
| | | dire | | **re**dire |
| | | formuler | | **re**formuler |

# Le suffixe

Le suffixe est une ou plusieurs syllabes
qu'on ajoute après le mot pour en changer le sens.

Le suffixe suit le mot.

| Mot + | Suffixe → | Nouveau mot |
|---|---|---|
| accident<br>mort | el | accident**el**<br>mort**el** |
| alcool<br>volcan | ique | alcool**ique**<br>volcan**ique** |
| dent<br>social | iste | dent**iste**<br>social**iste** |
| étrange<br>loge | ment | étrange**ment**<br>loge**ment** |

# La ponctuation

Quand on parle, on fait des pauses et on change d'intonation pour bien se faire comprendre.
Quand on écrit, on fait la même chose en utilisant les signes de ponctuation.

## Le point-virgule ;

Il marque un court arrêt et sépare deux idées dans la même phrase.

Cette voiture est ancienne; celle-ci est plus récente.
Mon fils est brun; ma fille est blonde.

## Les deux points :

Ils annoncent une citation, une énumération ou une explication.

Le directeur de la caisse populaire me dit toujours :
«L'argent ne fait pas le bonheur.»
Pour peindre ma maison, j'ai utilisé les couleurs suivantes :
le rose, le bleu, le vert et le jaune.

## Les points de suspension ...

Ils indiquent une phrase inachevée volontairement ou pour une raison de censure, de convenance, de surprise, etc.

Je ne t'en veux pas, mais...

# La ponctuation (suite)

## Les guillemets « »

Ils sont utilisés au début et à la fin d'une citation.

Le directeur de la caisse populaire me dit toujours :
«L'argent ne fait pas le bonheur.»
Le général Charles de Gaulle a insulté le gouvernement du
Canada à l'ouverture de l'Exposition de 1967 en criant :
«Vive le Québec... libre !»

## Les parenthèses ( )

Elles isolent des mots qui ne sont pas essentiels dans la phrase.

Charles (mon voisin) hurle constamment.

## Le tiret —

Il indique le changement de personne dans un dialogue.

— Qui est là ?
— C'est moi, Hélène !
— Que veux-tu ?
— Savoir si tu vas bien.

# La ponctuation (suite)

## Le point d'interrogation **?**

Il se place à la fin d'une phrase lorsqu'on pose une question.

As-tu écouté ce qu'il a dit **?**

Avons-nous gagné à la loterie **?**

## Le point d'exclamation **!**

Il se place après un mot exclamatif et à la fin d'une phrase qui exprime un sentiment très fort.

Enfin **!** Mon voisin déménage **!**

Il était temps que cela arrête **!** J'étais épuisé.

# La classification des verbes

Les verbes se divisent en trois groupes.

| Groupe | Terminaison | Verbe |
|---|---|---|
| 1er groupe | er | chanter<br>parler<br>danser |
| 2e groupe | ir<br>(avec participe présent en issant) | finir (finissant)<br>jouir (jouissant)<br>bâtir (bâtissant) |
| 3e groupe | ir<br>oir<br>re<br>dre | ouvrir<br>voir<br>dire<br>apprendre |

# Les terminaisons des verbes au présent

| | |
|---|---|
| **je** | S    E    X    AI |
| **tu** | S    X |
| **il, elle** | D    A    T    E |
| **nous** | ONS |
| **vous** | EZ    TES |
| **ils, elles** | ENT |

# Les modes du verbe

Il y a trois modes du verbe :
l'indicatif, l'impératif et le subjonctif.

L'**indicatif** sert à exprimer qu'une action a lieu
dans le présent, dans le passé ou dans l'avenir.

je travaillais    tu travailles    il travaillera

L'**impératif** sert à exprimer un ordre.

travaille        travaillons        travaillez

Le **subjonctif** sert à exprimer un souhait, un doute,
une hypothèse, la crainte, la volonté, etc.

Je veux que tu viennes.
Je doute qu'il puisse venir.
Tu as peur qu'il ne vienne.

### Remarque
Le verbe peut être personnel ou impersonnel.
Il est **impersonnel** quand il s'emploie seulement
à la troisième personne du singulier.

pleuvoir    →    il pleut
neiger      →    il neige

Un verbe personnel peut se conjuguer à toutes les personnes.

je mange, tu manges, il mange, etc.

# L'analyse grammaticale

**La phrase simple**

sujet       verbe       complément

(verbe d'action)

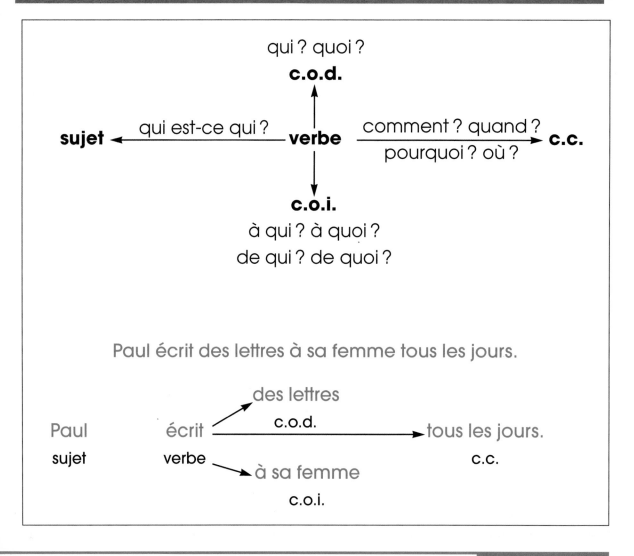

qui ? quoi ?

**c.o.d.**

**sujet** ←──── qui est-ce qui ? ──── **verbe** ──── comment ? quand ? pourquoi ? où ? ────→ **c.c.**

**c.o.i.**

à qui ? à quoi ?

de qui ? de quoi ?

Paul écrit des lettres à sa femme tous les jours.

des lettres

Paul       écrit ────→ c.o.d. ────→ tous les jours.

sujet       verbe ────→ à sa femme       c.c.

c.o.i.

# Verbes auxiliaires
# Verbes du 1er groupe

## Verbes auxiliaires

avoir

être

aller

faire

pouvoir

Pour les conjuguer, voir les pages 134 à 138.

## Verbes du 1er groupe

| | | |
|---|---|---|
| abaisser | garder | nettoyer |
| agrafer | gratter | occuper |
| balayer | habiter | ordonner |
| bercer | hurler | parfumer |
| broder | imiter | percer |
| cacher | imposer | questionner |
| camper | jardiner | quitter |
| demander | jeter | raconter |
| déménager | kidnapper | ramasser |
| enfermer | klaxonner | saler |
| enseigner | laisser | terminer |
| espérer | lancer | tourner |
| féliciter | magasiner | user |
| fermer | manger | visiter |
| foncer | nager | zigzaguer |

Pour les conjuguer, voir le verbe modèle chanter, page 139.

# Verbes du 2e groupe

| | | |
|---|---|---|
| aboutir | épanouir | obéir |
| accomplir | établir | périr |
| adoucir | finir | polir |
| affaiblir | fleurir | punir |
| agir | franchir | raccourcir |
| arrondir | frémir | rafraîchir |
| bâtir | garantir | refroidir |
| bénir | garnir | réjouir |
| choisir | grandir | remplir |
| convertir | gémir | rétablir |
| démolir | jaillir | subir |
| désobéir | jaunir | trahir |
| éclaircir | moisir | unir |
| élargir | noircir | vernir |
| envahir | nourrir | vomir |

Pour les conjuguer, voir le verbe modèle finir, page 140.

# Verbes du 3e groupe

# Verbe avoir

## Présent

j'ai
tu as
il, elle a
nous avons
vous avez
ils, elles ont

## Passé composé

j'ai eu
tu as eu
il, elle a eu
nous avons eu
vous avez eu
ils, elles ont eu

## Imparfait

j'avais
tu avais
il, elle avait
nous avions
vous aviez
ils, elles avaient

## Conditionnel présent

j'aurais
tu aurais
il, elle aurait
nous aurions
vous auriez
ils, elles auraient

## Futur simple

j'aurai
tu auras
il, elle aura
nous aurons
vous aurez
ils, elles auront

## Impératif présent

aie
ayons
ayez

# Verbe être

## Présent

je suis
tu es
il, elle est
nous sommes
vous êtes
ils, elles sont

## Passé composé

j'ai été
tu as été
il, elle a été
nous avons été
vous avez été
ils, elles ont été

## Imparfait

j'étais
tu étais
il, elle était
nous étions
vous étiez
ils, elles étaient

## Conditionnel présent

je serais
tu serais
il, elle serait
nous serions
vous seriez
ils, elles seraient

## Futur simple

je serai
tu seras
il, elle sera
nous serons
vous serez
ils, elles seront

## Impératif présent

sois
soyons
soyez

# Verbe aller

## Présent

je vais
tu vas
il, elle va
nous allons
vous allez
ils, elles vont

## Passé composé

je suis allé (allée)
tu es allé (allée)
il, elle est allé, allée
nous sommes allés (allées)
vous êtes allés (allées)
ils, elles sont allés, allées

## Imparfait

j'allais
tu allais
il, elle allait
nous allions
vous alliez
ils, elles allaient

## Conditionnel présent

j'irais
tu irais
il, elle irait
nous irions
vous iriez
ils, elles iraient

## Futur simple

j'irai
tu iras
il, elle ira
nous irons
vous irez
ils, elles iront

## Impératif présent

va*
allons
allez

* Attention : vas-y

# Verbe faire

## Présent

je fais
tu fais
il, elle fait
nous faisons
vous faites
ils, elles font

## Passé composé

j'ai fait
tu as fait
il, elle a fait
nous avons fait
vous avez fait
ils, elles ont fait

## Imparfait

je faisais
tu faisais
il, elle faisait
nous faisions
vous faisiez
ils, elles faisaient

## Conditionnel présent

je ferais
tu ferais
il, elle ferait
nous ferions
vous feriez
ils, elles feraient

## Futur simple

je ferai
tu feras
il, elle fera
nous ferons
vous ferez
ils, elles feront

## Impératif présent

fais
faisons
faites

# Verbe pouvoir

## Présent

je peux
tu peux
il, elle peut
nous pouvons
vous pouvez
ils, elles peuvent

## Passé composé

j'ai pu
tu as pu
il, elle a pu
nous avons pu
vous avez pu
ils, elles ont pu

## Imparfait

je pouvais
tu pouvais
il, elle pouvait
nous pouvions
vous pouviez
ils, elles pouvaient

## Conditionnel présent

je pourrais
tu pourrais
il, elle pourrait
nous pourrions
vous pourriez
ils, elles pourraient

## Futur simple

je pourrai
tu pourras
il, elle pourra
nous pourrons
vous pourrez
ils, elles pourront

## Impératif présent

(pas d'impératif)

# Verbe modèle du 1er groupe — chanter

## Présent

je chante
tu chantes
il, elle chante
nous chantons
vous chantez
ils, elles chantent

## Passé composé

j'ai chanté
tu as chanté
il, elle a chanté
nous avons chanté
vous avez chanté
ils, elles ont chanté

## Imparfait

je chantais
tu chantais
il, elle chantait
nous chantions
vous chantiez
ils, elles chantaient

## Conditionnel présent

je chanterais
tu chanterais
il, elle chanterait
nous chanterions
vous chanteriez
ils, elles chanteraient

## Futur simple

je chanterai
tu chanteras
il, elle chantera
nous chanterons
vous chanterez
ils, elles chanteront

## Impératif présent

chante
chantons
chantez

# Verbe modèle du 2ᵉ groupe — finir

## Présent

je finis
tu finis
il, elle finit
nous finissons
vous finissez
ils, elles finissent

## Passé composé

j'ai fini
tu as fini
il, elle a fini
nous avons fini
vous avez fini
ils, elles ont fini

## Imparfait

je finissais
tu finissais
il, elle finissait
nous finissions
vous finissiez
ils, elles finissaient

## Conditionnel présent

je finirais
tu finirais
il, elle finirait
nous finirions
vous finiriez
ils, elles finiraient

## Futur simple

je finirai
tu finiras
il, elle finira
nous finirons
vous finirez
ils, elles finiront

## Impératif présent

finis
finissons
finissez

# Verbe modèle du 3ᵉ groupe — boire

## Présent

je bois
tu bois
il, elle boit
nous buvons
vous buvez
ils, elles boivent

## Passé composé

j'ai bu
tu as bu
il, elle a bu
nous avons bu
vous avez bu
ils, elles ont bu

## Imparfait

je buvais
tu buvais
il, elle buvait
nous buvions
vous buviez
ils, elles buvaient

## Conditionnel présent

je boirais
tu boirais
il, elle boirait
nous boirions
vous boiriez
ils, elles boiraient

## Futur simple

je boirai
tu boiras
il, elle boira
nous boirons
vous boirez
ils, elles boiront

## Impératif présent

bois
buvons
buvez

# Verbe modèle du 3ᵉ groupe — courir

## Présent

je cours
tu cours
il, elle court
nous courons
vous courez
ils, elles courent

## Passé composé

j'ai couru
tu as couru
il, elle a couru
nous avons couru
vous avez couru
ils, elles ont couru

## Imparfait

je courais
tu courais
il, elle courait
nous courions
vous couriez
ils, elles couraient

## Conditionnel présent

je courrais
tu courrais
il, elle courrait
nous courrions
vous courriez
ils, elles courraient

## Futur simple

je courrai
tu courras
il, elle courra
nous courrons
vous courrez
ils, elles courront

## Impératif présent

cours
courons
courez

# Verbe modèle du 3e groupe — dire

## Présent

je dis
tu dis
il, elle dit
nous disons
vous dites
ils, elles disent

## Passé composé

j'ai dit
tu as dit
il, elle a dit
nous avons dit
vous avez dit
ils, elles ont dit

## Imparfait

je disais
tu disais
il, elle disait
nous disions
vous disiez
ils, elles disaient

## Conditionnel présent

je dirais
tu dirais
il, elle dirait
nous dirions
vous diriez
ils, elles diraient

## Futur simple

je dirai
tu diras
il, elle dira
nous dirons
vous direz
ils, elles diront

## Impératif présent

dis
disons
dites

# Verbe modèle du 3e groupe — fuir

## Présent

je fuis
tu fuis
il, elle fuit
nous fuyons
vous fuyez
ils, elles fuient

## Passé composé

j'ai fui
tu as fui
il, elle a fui
nous avons fui
vous avez fui
ils, elles ont fui

## Imparfait

je fuyais
tu fuyais
il, elle fuyait
nous fuyions
vous fuyiez
ils, elles fuyaient

## Conditionnel présent

je fuirais
tu fuirais
il, elle fuirait
nous fuirions
vous fuiriez
ils, elles fuiraient

## Futur simple

je fuirai
tu fuiras
il, elle fuira
nous fuirons
vous fuirez
ils, elles fuiront

## Impératif présent

fuis
fuyons
fuyez

# Verbe modèle du 3ᵉ groupe — mentir

## Présent

je mens
tu mens
il, elle ment
nous mentons
vous mentez
ils, elles mentent

## Passé composé

j'ai menti
tu as menti
il, elle a menti
nous avons menti
vous avez menti
ils, elles ont menti

## Imparfait

je mentais
tu mentais
il, elle mentait
nous mentions
vous mentiez
ils, elles mentaient

## Conditionnel présent

je mentirais
tu mentirais
il, elle mentirait
nous mentirions
vous mentiriez
ils, elles mentiraient

## Futur simple

je mentirai
tu mentiras
il, elle mentira
nous mentirons
vous mentirez
ils, elles mentiront

## Impératif présent

mens
mentons
mentez

# Verbe modèle du 3e groupe — peindre

## Présent

je peins
tu peins
il, elle peint
nous peignons
vous peignez
ils, elles peignent

## Passé composé

j'ai peint
tu as peint
il, elle a peint
nous avons peint
vous avez peint
ils, elles ont peint

## Imparfait

je peignais
tu peignais
il, elle peignait
nous peignions
vous peigniez
ils, elles peignaient

## Conditionnel présent

je peindrais
tu peindrais
il, elle peindrait
nous peindrions
vous peindriez
ils, elles peindraient

## Futur simple

je peindrai
tu peindras
il, elle peindra
nous peindrons
vous peindrez
ils, elles peindront

## Impératif présent

peins
peignons
peignez

# Verbe modèle du 3e groupe — prendre

## Présent

je prends
tu prends
il, elle prend
nous prenons
vous prenez
ils, elles prennent

## Passé composé

j'ai pris
tu as pris
il, elle a pris
nous avons pris
vous avez pris
ils, elles ont pris

## Imparfait

je prenais
tu prenais
il, elle prenait
nous prenions
vous preniez
ils, elles prenaient

## Conditionnel présent

je prendrais
tu prendrais
il, elle prendrait
nous prendrions
vous prendriez
ils, elles prendraient

## Futur simple

je prendrai
tu prendras
il, elle prendra
nous prendrons
vous prendrez
ils, elles prendront

## Impératif présent

prends
prenons
prenez

# Verbe modèle du 3ᵉ groupe — rendre

## Présent

je rends
tu rends
il, elle rend
nous rendons
vous rendez
ils, elles rendent

## Passé composé

j'ai rendu
tu as rendu
il, elle a rendu
nous avons rendu
vous avez rendu
ils, elles ont rendu

## Imparfait

je rendais
tu rendais
il, elle rendait
nous rendions
vous rendiez
ils, elles rendaient

## Conditionnel présent

je rendrais
tu rendrais
il, elle rendrait
nous rendrions
vous rendriez
ils, elles rendraient

## Futur simple

je rendrai
tu rendras
il, elle rendra
nous rendrons
vous rendrez
ils, elles rendront

## Impératif présent

rends
rendons
rendez

# Verbe modèle du 3e groupe — savoir

## Présent

je sais
tu sais
il, elle sait
nous savons
vous savez
ils, elles savent

## Passé composé

j'ai su
tu as su
il, elle a su
nous avons su
vous avez su
ils, elles ont su

## Imparfait

je savais
tu savais
il, elle savait
nous savions
vous saviez
ils, elles savaient

## Conditionnel présent

je saurais
tu saurais
il, elle saurait
nous saurions
vous sauriez
ils, elles sauraient

## Futur simple

je saurai
tu sauras
il, elle saura
nous saurons
vous saurez
ils, elles sauront

## Impératif présent

sache
sachons
sachez

# Verbe modèle du 3e groupe — voir

## Présent

je vois
tu vois
il, elle voit
nous voyons
vous voyez
ils, elles voient

## Passé composé

j'ai vu
tu as vu
il, elle a vu
nous avons vu
vous avez vu
ils, elles ont vu

## Imparfait

je voyais
tu voyais
il, elle voyait
nous voyions
vous voyiez
ils, elles voyaient

## Conditionnel présent

je verrais
tu verrais
il, elle verrait
nous verrions
vous verriez
ils, elles verraient

## Futur simple

je verrai
tu verras
il, elle verra
nous verrons
vous verrez
ils, elles verront

## Impératif présent

vois
voyons
voyez

# Index

# Index (suite)